Le choix
de vivre

LES ÉDITIONS QUEBECOR
une division de Groupe Quebecor inc.
7, chemin Bates
Bureau 100
Outremont (Québec)
H2V 1A6

© 1993, Les Éditions Quebecor, Daniel Sévigny
Dépôt légal, 3e trimestre 1993

Bibliothèque nationale du Québec
Bibliothèque nationale du Canada
ISBN: 2-89089-569-6

Distribution: Québec Livres

Éditeur: Jacques Simard
Coordonnatrice à la production: Sylvie Archambault
Conception de la page couverture: Bernard Langlois
Photo de la page couverture: La Banque
   D'Images/Corey Wolfe
Infographie: Composition Monika, Québec

Impression: Imprimerie l'Éclaireur

Daniel Sévigny

Le choix
de vivre

....

Les Éditions Quebecor

Données de catalogage avant publication (Canada)

Sévigny, Daniel, 1947-

  Mes amis, les guides

  (Petit guide pratique)

  ISBN 2-89089-569-6

  1. Réalisation de soi (Psychologie). 2. Morale pratique. I. Titre. II. Collection.

BF637.S4S48 1993   158.1   C93-096993-6

«Les guides ont une puissance magique, une force créatrice réelle pour nous diriger dans nos efforts pour devenir ce que nous voulons être, pour obtenir ce que nous désirons.»

Ce livret que vous avez entre les mains n'a qu'un but: remettre dans la mesure du possible les choses à leur véritable place, éviter que l'on continue de prendre le reflet de la vie pour la vie elle-même, donner un aperçu sommaire, mais révélateur, de ce qui EST au-dessus des étiquettes sociales, des mascarades politiques, des haines humanitaires et des sectarismes religieux.

Résignation; certainement pas, car qui n'avance pas recule, cela est bien connu. C'est l'enrichissement du cœur qui sauve des pires interrogations et qui finit par disperser une telle lumière.

Retenez l'esprit plutôt que le signe. Absorbez la moelle des mots que j'ai écrits et abandonnez leur carcasse. Nous sommes sur la terre parce que nous en sommes dignes et aussi pour des raisons très précises. Aussi comprenez que rien ne sert de chercher l'érudition.

Tentez de comprendre les phénomènes en sondant leur cœur et non en usant de votre intellect sur la vérité des rouages de l'organisation des mondes. Aimez l'essentiel et le reste viendra par surcroît.

Le savoir est le meilleur antidote contre la peur, surtout si cette peur concerne notre état d'existence après notre passage physique dans l'autre monde.

Il ne faut pas confondre. La vie sur Terre n'est qu'un monde intermédiaire. Ce n'est pas le Paradis dont rêve la moitié des hommes et dont rit l'autre moitié. Nous nous trouvons ici dans un des royaumes les plus bas de l'univers astral. Cela signifie que les entités qui vivent ici n'ont pas encore tué leurs appétits terrestres essentiels. Elles n'ont pas encore fini de tirer la grande leçon de toute vie dans la matière, à savoir qu'il n'y a que l'AMOUR et l'HARMONIE entre les êtres et tous les éléments de la création qui puissent ouvrir les portes de la CONNAIS-SANCE et du BONHEUR.

Qu'est-ce que la réincarnation?

La réincarnation est la théorie qui affirme que la conscience de l'homme, son âme, survit à sa mort et revient pour se réincarner dans un autre corps physique, muni de la possibilité de progresser en sagesse et en connaissance. Nous expérimentons la vie en tant qu'homme ou femme, en passant tour à tour d'une race à l'autre et en changeant de classe sociale. Nos nombreuses vies couvrent toute la gamme du bien et du mal. Nous avons combattu pour libérer les hommes de l'esclavage et avons, par ailleurs, acheté et vendu des esclaves. Au cours de certaines de nos vies, nous avons fait vœu de célibat et nous nous sommes vendus nous-mêmes pour un peu d'argent ou de puissance. Nous avons détenu les rênes du pouvoir, et avons aussi accompli les tâches les plus humbles.

Les actions individuelles importent peu: seules comptent réellement les motivations qui les sous-tendent et les leçons que nous en tirons. Nous sommes, en quelque sorte, la somme globale de nos expériences passées. Des traits positifs nous caractérisent et nous possédons certains talents; mais des schémas négatifs, des habitudes nocives nous sont restés, héritages de vies antérieures.

Nombreux sont ceux qui ne saisissent pas la théorie de la réincarnation dans son ensemble: «Peu importe la manière dont vous vous conduisez dans cette vie-ci, puisque, de toute façon, vous êtes appelés à revenir...» Voilà l'idée qu'ils se font de la pensée des TENANTS de la réincarnation.

À priori, et surtout pour ceux qui craignent la mort

par-dessus tout, il peut sembler réconfortant et quelque peu rassurant de savoir qu'à nouveau nous serons appelés à vivre. Pourtant, plus on gagne en connaissance et en compréhension, plus cette perspective perd de ses attraits. La seule envie qui subsiste est bientôt celle d'apprendre aussi rapidement que possible, de progresser aussi vite que faire se peut afin de briser le cycle de mort et de renaissance.

Esprit illimité en évolution, crée par l'image, dans l'image même de l'Esprit Illimité et Infini, vous vous réincarnez afin de comprendre et de faire valoir vos droits à la renaissance. Lorsque, ayant reconnu votre véritable nature, vous transcenderez vos limites pour accepter la pleine et entière responsabilité de vos actions, vous n'aurez plus besoin de subir l'apprentissage des expériences de la vie physique, ni les contraintes du plan terrestre.

En fait, la réincarnation fait partie des croyances les plus anciennement et largement partagées dans le monde. À l'aube de son séjour sur Terre, la vie de l'homme était facile, parfaitement intégrée aux cycles de vie, de mort et de renaissance, tels qu'il pouvait les voir se dérouler autour de lui dans la nature. Il lui fut donc naturel de penser qu'il faisait, lui aussi, partie de ce cycle et qu'en toute logique sa vie allait se renouveler. Fait intéressant: c'est dans les civilisations qui, de par le monde, vivent en harmonie avec la nature que la croyance en la réincarnation continue d'être la plus largement répandue.

Peu à peu, l'homme s'est laissé aller à compliquer toujours davantage sa propre vie, mesurant sa valeur au nombre d'objets matériels en sa possession. Certains se sont alors mis à créer des règles permettant de dominer les autres, de tirer partie de leur travail sans fournir eux-mêmes d'efforts. Pour d'autres, il était plus facile de se laisser dicter ce qu'ils devaient faire, penser ou la manière dont ils devaient mener leur vie... Lorsque les choses allaient mal, ils pouvaient au moins en rejeter la faute sur un tiers... Renonçant à sa liberté d'action, à ses responsabilités propres et même à ses relations avec son Créateur.

Réincarnation et transmigration sont deux théories qui se confondent fréquemment. «Croyez-vous vraiment que vous puissiez revivre sous la forme d'un cafard ou d'une vache, par exemple?» La question est souvent posée. Parmi ceux qui croient en la réincarnation, il existe un groupe restreint concentré surtout en Inde, qui croit en la transmigration de l'âme. Aucune preuve ne vient toutefois étayer cette théorie. En fait, il semble que l'homme ne puisse revenir sous une forme différente de la sienne.

La théorie de la transmigration provient sans doute d'une allégorie fort ancienne, qui avait pour dessein d'enseigner à l'homme le respect de la vie, sous toutes ses formes. L'étincelle de vie qui jaillit dans vos cellules est issue de la même source qui anime toutes les formes de vie. Il existe donc une sorte de parenté entre tous les types de vie: il faut la reconnaître, lui donner sa juste valeur et la traiter en conséquence, c'est-à-dire de manière responsable.

Nos corps sont physiquement composés de milliards de cellules: chacune d'entre elles accomplit une fonction spécifique afin d'accueillir l'âme comme il convient. Nous sommes des esprits contraints de fonctionner dans un monde physique. À cette fin, nous avons besoin de moyens physiques pour nous matérialiser. Nous devons donc respecter et prendre soin des formes de vie qui composent nos corps.

Qu'est-ce que le karma?

Le karma désigne la relation entre cause et effet. C'est la rencontre avec soi-même, la récolte de la semence. Le karma ne se donne pas pour but de punir, mais bien plutôt de nous enseigner et de nous aider à apprendre à vivre en harmonie avec l'Univers.

La loi de causalité est universelle. À chaque action ou cause correspond une réaction, c'est-à-dire un effet. Cette règle est immuable et insurmontable. En revanche, il nous est possible d'agir sur l'action et sur la cause de celle-ci, puisque nous en déclenchons le processus; la manière dont nous réagissons aux effets de ces causes dépend aussi de nous. Notre propre attitude transforme donc le karma en une influence positive ou négative dans notre vie. En lui-même, le karma n'est ni bon ni mauvais. Il se contente d'être.

Il est courant d'entendre à propos du karma l'expression de «DETTE COSMI-QUE», d'en parler en termes de souffrance, d'en évoquer les aspects déplaisants lorsqu'ils apparaissent dans nos vies. On oublie souvent de mentionner les richesses telles que: SAVOIR, SAGESSE, TALENTS, AMOURS, qui font, elles aussi, parties de ce que nous recevons de nos vies passées, et donc de la loi de causalité: notre héritage karmique.

Prenons un exemple simple: si les chaussures que vous portez sont trop étroites, vous aurez mal aux pieds, cause et effet. Pour résoudre votre problème, une alternative vous échoit: persister à porter vos chaussures, vous sentir malheureux, abîmer vos pieds peut-être, faire pâtir votre entourage des effets de votre méchante humeur; ou tout aussi bien tirer les leçons de cette expérience et adopter désormais des chaussures confortables, afin d'avoir l'esprit libre et de vous concentrer sur d'autres sujets. Voilà une manière bien simpliste d'envisager le karma, penserez-vous sans doute; il s'agit pourtant là d'une approche réaliste.

Nombreux sont ceux qui expliquent le karma en disant: si vous avez fait souffrir quelqu'un dans une vie passée, il vous faudra souffrir à votre tour. Mais dans quelle mesure? Comment le fait de générer plus de souffrance dans ce monde pourra-t-il bénéficier à qui que ce soit? N'est-il pas beaucoup plus positif de transformer ces énergies en outils allégeant la souffrance?

Une partie de notre évolution spirituelle consiste à

comprendre que le karma ne vise pas à être un système de punitions et de récompenses, mais un apprentissage de la sagesse. Libre à nous alors de choisir la méthode d'enseignement (pédagogie alternative) la plus constructive et la plus bénéfique pour vous et pour les autres. Bien comprendre la loi karmique présente un autre avantage: lorsqu'un concept ou son principe a été convenablement assimilé, il ne se révèle plus nécessaire de vivre toute une série d'événements pour satisfaire l'aspect «EFFET» de la loi.

Nos talents, nos dons, l'instinct grâce auxquels nous triomphons de situations nouvelles et parfois délicates, la confiance en nous ressentie dans certaines circonstances de notre vie, tout cela représente aussi le résultat de nos actions passées. Au cours des milliers d'années de notre existence, nous avons accumulé une somme incroyable de savoirs et de talents dans un grand nombre de domaines, lorsque nous avons su y mener jusqu'au bout nos efforts; dans d'autres cas, différentes rai-

sons nous ont conduits à a-
bandonner en cours de route
la tâche entreprise. La connaissance que nous en avons
tirée fait néanmoins partie
intégrante de nous-même.

La relation entre cause et
effet est pratiquement intégrée à notre vie quotidienne.
Nous avons aussi à faire front
aux effets des actions d'au-
trui; pourtant, nous pouvons
encore une fois choisir la
manière dont ces actions
vont nous affecter. Si vous ne
payez pas votre note d'élec-
tricité, par exemple, on vous
coupera le courant. Si vous

vous en acquittez, le courant continuera à circuler jusque chez-vous, à moins bien sûr que la ligne à haute tension ne soit accidentellement rompue.

Cela vous affectera directement: soit vous commencerez alors à fulminer, à vous plaindre auprès du bureau régional de l'Hydro, à en faire toute une histoire et à vous mettre dans tous vos états; soit vous ferez preuve d'imagination et transformerez cet incident en une aventure mémorable pour votre famille et vous-même. Tout cela ne dépend que de vous...

Voilà un sujet longuement traité. Il me semble, en effet, de la plus haute importance que vous compreniez que le karma, telle l'épée de Damoclès suspendue au-dessus de vos têtes, ne s'apprête pas à fondre sur vous pour vous infliger d'affreux malheurs. Comprendre le karma doit vous permettre de prendre un certain recul par rapport au quotidien en dissociant ce qui est réellement important de ce qui l'est moins. Comprendre signifie apprendre, savoir prendre vos propres responsabilités dans votre vie; avoir conscience aussi que l'attitude adoptée est primordiale.

Vous êtes libre de faire ce que vous voulez réellement. Il ne vous semblera peut-être pas facile d'adopter cette idée: elle implique que vous acceptiez de prendre personnellement la responsabilité de ce qui survient dans votre vie. Accepter cette idée, c'est aussi renoncer à rejeter la faute sur les circonstances, sur le karma, sur quelqu'un ou quelque chose d'autre.

Vous et vous seul êtes en cause.

Quand les souffrances cesseront-elles?

Dès que les hommes au-
ront fait leur MÉTANOIA, dès
qu'ils auront changé de mentalité et accédé au repentir.
Dans le corps spirituel, sont
inscrits comme en un livre
tous les faits de notre existence: voilà notre livre de vie.
Après la mort, il s'ouvre et
chacun peut lire en ses
pages. Toute hypocrisie est
impossible de notre côté.

Notre apparence devient comme notre essence; nous avons la face et le corps de nos pensées. Ce n'est que sur Terre que des visages d'ange peuvent dissimuler un mental démoniaque. Non seulement nous restons nous-même au début, mais nous devenons plus complètement nous-mêmes.

Qu'est-ce que le mal?

Tout ce qui diminue la foi, tout ce qui assassine le bonheur. Le monde a été créé pour le bonheur. Le but n'est pas la souffrance mais le bonheur.

On nous a dit, au cours des siècles, beaucoup trop de bien de la souffrance. Certes, elle approfondit l'homme, mais le bonheur, si on savait mieux l'utiliser, nous rendrait le même service. On parle toujours du problème, du mystère de la souffrance, mais le bonheur a, lui aussi, son problème et son mystère. Il peut lui aussi nous donner la clé de l'énigme; n'est-il pas le but de la création?

«Cette faim du bonheur durable n'est-elle pas la

preuve ou du moins l'indice que nous sommes immortels?» Ce bonheur, qui monte parfois des profondeurs de nous-même, n'est-il pas déjà une réponse à cette question?

Qu'est-ce qu'un corps ÉTHÉRIQUE?

«Le corps éthérique est issu d'un monde qui lui est propre: ÉTHER».

Bien sûr, cet Éther n'a rien à voir avec le liquide que l'on vend communément sur Terre! L'Éther dont je traite

ici est une concentration d'é-
nergies chimiques et vitales
qui parcourent la surface de
la planète en tous sens. Il
forme une enveloppe, une
couche intermédiaire entre
les univers physiques et as-
traux.

Par commodité, on associe
parfois Éther et astral, car aux
yeux de la chair, le premier
est aussi invisible que le second. Si l'on veut être précis,
il faut pourtant admettre que
l'Éther entretient beaucoup
plus de rapports avec la matière qu'avec l'astral.

Éther a quatre fonctions ou plutôt il est quadruplé, et ses quatre natures distinctes s'interpénètrent étroitement. Tout d'abord, il assimile les énergies terrestres qui meurent; il les transmue. Ensuite il crée en donnant aux humains leur capacité de reproduction. Son troisième aspect concerne directement tout ce qui est liquide vital, c'est-à-dire sang ou sève. Il leur procure vie, nourriture et chaleur par sa lumière très subtile.

Enfin, il existe un Éther réfléchissant, un Éther où puisent parfois ceux que l'on appelle médiums et spirites. Il peut être source de grandes découvertes, mais aussi d'incalculables erreurs. Bien dirigé, il est utilisable en tant que mémoire, car le moindre événement de l'univers terrestre s'y reflète et s'y inscrit à tout jamais. Pour employer un terme technique, sachez qu'il est une extraordinaire bande d'enregistrement.

L'endroit où nous nous trouvons est un de ceux nombreux où la Mémoire universelle s'annonce aisément accessible. Les entités qui ont la charge du monde astral ont œuvré afin que l'accès aux Archives de la Terre notamment, soit aisé pour la plupart des âmes qui doivent se réincarner.

Évidemment, pour quiconque connaît le moyen de les utiliser pleinement, point n'est besoin d'écran comme celui que tu vois. Éther englobe totalement la planète; il ne suffit que de savoir se mettre en contact avec lui. Une âme désordonnée, en proie à bien des désirs, crois-moi, ne peut parvenir à cela. On ne voit jamais que ce que l'on s'est donné la possibilité de voir.

Ceux qui ont accès aux Grandes Connaissances par la technique enseignée, savent que Éther ne représente pas tout à fait la perfection dans le domaine de la mémoire. Alors, c'est une autre substance plus prodigieuse nommée AKASHA ou AN-NALES AKASHIQUES.

Qu'est-ce que la vie dans l'au-delà?

Au moment où l'homme meurt, les portes de la Terre

se ferment derrière lui; il se trouve engagé dans un autre courant et il n'a pas le droit de retourner en arrière. C'est pourquoi il n'est pas bon d'évoquer les morts: parce qu'on empêche leur évolution. Il faut prier pour eux afin de les faire évoluer, les libérer. Mais, il ne faut pas s'accrocher à eux pour les retenir, ni surtout chercher à les ramener vers la Terre.

Les livres anciens rapportent de nombreux récits d'évocation des morts. On égorgeait des animaux, et grâce aux émanations produites par leur sang, on altérait et nourrissait les âmes des morts qui pendant quelques instants retrouvaient ainsi une sorte de vitalité! Il y a dans l'Odyssée un épisode où l'on voit Ulysse faire revenir des Enfers l'ombre du devin Tirésias pour qu'il lui prédise l'avenir. Et dans l'Ancien Testament aussi, on lit le récit de la visite que le roi Saül fit à la magicienne d'En-Dor afin qu'elle fasse apparaître pour lui l'ombre du grand roi Samuel: il voulait connaître de lui l'issue de la guerre qu'il menait contre les Philistins. On appelle ce genre d'évocation «NÉCRO-MANCIE», car il s'agit d'une prédiction de l'avenir (man-cie) par le moyen des morts (nécro), mais vous vous sou-venez de ce que Samuel dit à Saül au moment où il appa-rut: «Pourquoi m'as-tu trou-blé en m'appelant?» Oui, car les morts qui ont vécu sur la Terre comme de grands es-prits n'aiment pas être déran-gés pour satisfaire la curiosi-té des vivants: ils se sentent tellement éloignés de leurs préoccupations mesquines et limitées! Bien sûr, ils ne les ont pas oubliés.

Évidemment, la majorité des humains, quand ils quittent la Terre, ne sont pas immédiatement libérés des attaches terrestres: ils restent liés à des parents, des amis (ou des ennemis) des lieux, des possessions, et s'ils ne sont pas tellement évolués, s'ils n'ont pas dans leur cœur, dans leur âme, le désir de découvrir d'autres espaces et d'aller vers l'Être Suprême de l'Univers infini, ils tournent autour de ces êtres, de ces maisons et de ces objets. Ce sont des âmes errantes qui souffrent et qui ne

peuvent pas encore se déga-
ger, bien que des esprits lumineux viennent les y aider.
Tandis que ceux qui ont déjà
vécu sur la Terre dans l'a-
mour, la lumière, les vertus,
quittent très rapidement leur
corps et s'envolent vers les
régions sublimes où ils na-
gent dans le bonheur et dans
la joie. De là, ils peuvent envoyer des courants bénéfi-
ques à tous ceux qu'ils ont
laissés en bas, pour les aider,
les protéger, mais jamais ils
ne reviennent vers eux, ils ne
redescendent pas comme
beaucoup se l'imaginent. Du

moment qu'ils sont morts, ils sont très loin de la Terre et ils ne reviennent pas.

L'espace psychique entourant la Terre est naturellement débarrassé de ce qui y traîne et qui est envoyé au centre de la Terre; cependant certaines entités inférieures, qu'on appelle des larves, des élémentaux, sont encore là, et ce sont elles justement qui apparaissent souvent dans les séances spirites pour tromper et égarer les humains. Et non seulement elles les égarent et les trompent, mais elles les épuisent parce que, pour rester un peu plus longtemps vivantes, elles absorbent la vitalité humaine.

Il est à la portée de l'esprit le plus inférieur d'entrer dans la tête d'un médium et de vous parler au nom de qui vous voulez: Moïse, Jeanne d'Arc, un proche parent... Cela ne prouve pas sa supériorité! Ce n'est pas un ramassis de personnes frivoles, curieuses, sensuelles, comme on en trouve tant dans les réunions spirites qui va attirer des esprits évolués. Tout ce qu'elles peuvent attirer, ces personnes, c'est la racaille qui peuple l'astral inférieur, des larves, des débris, des ombres... Par contre, si des êtres purs, lumineux, désintéressés, se réunissent pour prier et envoyer de la lumière, des entités vraiment lumineuses peuvent se manifester parmi eux, mais pas du tout à la façon dont les esprits se manifestent dans les cercles de spiritisme.

Le plan astral est habité par des créatures de toutes sortes dont les humains n'ont aucune idée, mais qu'ils les connaissent ou non, ils attirent celles avec lesquelles ils entrent en relation par la loi d'affinité. Voilà comment, dans les séances spirites, les participants attirent des présences de l'océan astral, mais ce sont rarement des esprits des morts qu'ils entendent. Vous direz: «Oui, mais comment ces créatures sont-elles arrivées à connaître suffisamment de choses concernant un mort pour réussir à se faire passer pour lui?» Tout est inscrit dans les ANNALES AKASHIQUES et les entités peuvent se renseigner très vite, mais souvent elles ne voient pas très bien et donnent des renseignements erronés.

Il faut donc être très prudent. Moi, je n'ai jamais recommandé de participer à des séances spirites, jamais. Au contraire, quand j'étais jeune, j'ai assité à quelques-unes, mais j'ai très vite compris que les gens qui sont là sont empêtrés dans leur sensualité, leurs convoitises, leurs ambitions. Alors, sous prétexte de communiquer avec leurs parents ou leurs amis, ils attirent des créatures astrales dont ils n'arriveront pas à se débarrasser parce qu'elles essayeront de satisfaire leurs désirs intérieurs à travers eux. C'est pourquoi beaucoup de spirites ont très mal fini. Alors, laissez les morts partir tranquilles là où ils doivent aller. Vos parents, vos amis ne vous accrochez pas à eux, ne les retenez pas par vos chagrins et vos regrets, et ne cherchez surtout pas à les rappeler pour communiquer avec eux: vous les importunez et vous les empêchez de se libérer. Priez pour eux, envoyez-leur votre amour, pen-

sez qu'ils se libèrent et s'élè-
vent de plus en plus dans la
lumière. Si vous les aimez
vraiment, sachez que vous
serez un jour avec eux. C'est
la vérité; là où est votre a-
mour, c'est là que vous serez
un jour.

Qu'est-ce qu'un GUIDE?

Dans l'au-delà, chez Ether,
il ne faut pas croire que les
activités manquent. Après a-
voir fait l'apprentissage de sa
nouvelle existence dans son
corps éthérique, la visite des
différents lieux qui sont ac-

cessibles selon notre élévation spirituelle et s'habituer à
la magnificence des sites. En
toute liberté de choix, nous
pouvons vaquer à différentes
occupations; toutes les fonctions existes ou presque.

Nous pouvons, selon notre
choix, continuer dans la car-
rière que nous avons occu-
pée sur Terre afin d'améliorer
nos connaissances, d'appro-
fondir une démarche entreprise, de perfectionner une
activité de loisirs, faire de
la recherche avec les plus
grands scientistes.

Parmi les fonctions existantes, le poste de GUIDE en est une et pour y avoir droit, cela dépend de notre niveau spirituel. Il faut avoir atteint une grande sagesse.

Les guides ont une puissance magique, une force créatrice réelle pour nous diriger dans nos efforts pour devenir ce que nous voulons être, pour obtenir ce que nous désirons.

L'esprit humain est fondamentalement une étincelle divine. Il y a des esprits bienfaisants, qui brillent de tous leur feux, projetant des rayons chaleureux d'amour et de bonté.

L'esprit est le siège de la personnalité. C'est le moi avec toutes ses forces et ses faiblesses autant intellectuelles que morales.

L'Univers infini nous comble en nous offrant la possibilité d'avoir des aides immédiats et en quantités illimitées pour nous aider, nous diriger, nous éclairer, nous protéger. Ils se nomment ESPRITS GUIDES.

Il n'y a ni formule, ni méthode, ni énoncé, ni programmation particulière pour avoir recours à nos guides. Il s'agit de s'adresser à eux dans un langage doux et tendre. On ne donne pas un ordre ou un commandement à nos guides. On implore leurs services.

Le meilleur moment pour prendre contact avec nos guides est avant de s'endormir. Les esprits sont constamment en éveil, comme le subconscient, contrairement à nous les humains qui avons besoin d'une période de sommeil pour récupérer physiquement. Vous êtes détendu et vous prenez le temps de bien expliquer les objectifs où vous voulez qu'ils vous apportent leur aide. Vous pouvez vous adresser à eux à toute heure du jour, ils sont constamment présents autour de vous.

Inutile de vous dire que vos objectifs prioritaires sont ceux de vos programmations afin d'en accélérer les résultats. En second lieu, les autres cibles.

Je vous présente maintenant ce nouveau monde, car il y a plusieurs catégories d'esprits.

Nous avons un esprit GUIDE PROTECTEUR, qui, lui, nous est affecté personnellement. Chacun de nous a son GUIDE PROTECTEUR. Il ne souhaite rien de mieux que de nous aider, c'est cette fonction que l'Univers infini lui a attribué. Si nous ne l'occupons pas, il servira tout simplement de guide à quelqu'un d'autre et, jusqu'à maintenant, il a sans aucun doute été au chômage. Imaginez avec quelle ardeur il s'occupera de vous.

Respectez toujours les mêmes principes que la programmation, c'est-à-dire au présent, de façon intelligente sans négation.

Vous conversez avec votre esprit guide comme avec un être cher en toute simplicité.

Mes guides ou mon GUIDE BIENFAISANT trouve-moi la maison idéale que je cherche, présente-moi le vendeur ou l'agent qui s'occupe de cette transaction. Aussi, avec son guide, on prépare le vendeur afin qu'il accepte notre offre, celle que l'on peut se permettre avec notre budget. Le vendeur et moi serons heureux de cette transaction, je te remercie à l'avance.

ESPRIT BIENFAISANT, je veux que tu conditionnes d'une attitude compréhensive monsieur Labonté, mon patron. Je convoite l'augmentation de salaire que je mérite, qu'elle me soit accordée avec générosité et satisfaction... ou qu'il m'accorde mes vacances aux dates que j'ai demandées ou que...

Cher GUIDE BIENFAISANT sélectionne et dépêche-moi des clients sérieux et des acheteurs afin que mon chiffre d'affaires augmente. J'ai un besoin urgent de liquidités, je te fais confiance, merci.

Quand vous avez un besoin pressant ou que votre demande est plus complexe, proposez à votre esprit protecteur de demander l'aide à d'autres guides pour vous assister dans votre démarche.

L'univers, c'est indéfini et incalculable, et si notre GUIDE BIENFAISANT était seul, ça pourrait demander plus de temps à sa réalisation.

Nous n'avons pas seulement un esprit GUIDE PRO-

TECTEUR dans l'univers. Nous avons aussi des guides bienfaisants qui veillent sur nous pour assurer notre réalisation terrestre et notre élévation spirituelle. Vous pouvez avoir recours à l'intervention d'un guide SPÉCIALISTE pour un but bien précis. Vous demandez simplement à vos guides de vous mettre en contact avec le MEILLEUR GUIDE... médecin, pédiatre, gynécologue, avocat, vendeur ou agent, orateur, mécanicien, électricien etc. Vous vous souvenez, je vous disais qu'il y a différentes oc-

cupations chez Éther, bier
voilà. Leur secours vous im-
pressionnera, car la façon de
se manifester dans la situa-
tion exigée solutionnera
votre requête et cela très rapidement avec d'heureux résultats.

Il y a aussi des esprits malfaisants ou joueurs de tours,
ils susciteront des embûches,
créeront toutes sortes d'en-
nuis. Il n'y a aucun rapport
entre les esprits aux intentions préjudiciables et le
grand-tricheur.

Dans ce monde ignoré, il y
a aussi des POLICIERS ou

guides POLICIERS. Ils sont peu nombreux par rapport à la quantité des autres guides.

On fait appel aux guides POLICIERS seulement lorsqu'on vit une PÉRIODE NOIRE. Qu'est-ce qu'un période noire? C'est la suite RAPPROCHÉE de situations de faits malheureuses: accident de voiture, maladie, vol au domicile, perte de son emploi, etc. Dans une période aussi ténébreuse vous demandez aux guides POLICIERS de venir mettre de l'ordre dans votre vie. Ils sont très efficaces à condition de ne pas abuser d'eux ni de leurs services. Je vous le répète, ils ne sont pas nombreux et si vous les dérangiez dans d'autres circonstances qu'une PÉRIODE NOIRE, premièrement ils pourraient refuser de vous venir en aide une autre fois, et deuxièment ils vous feront payer une facture. Évidemment, vous ne recevrez pas un compte pour services rendus en provenance d'Éther, simplement des imprévus coûteux dérangeront votre budget.

Avis aux sceptiques: ne tentez pas une expérience

avec les guides policiers pour vous convaincre de l'efficacité de cette dimension. Contactez votre GUIDE PROTECTEUR ou vos GUIDES BIENFAISANTS et leurs intercessions sauront vous persuader. Cette théroie est assez révolutionnaire, et pour les incrédules c'est peu plausible. Je suis d'accord avec vous.

Cependant, vous n'avez toujours rien à perdre à utiliser à votre profit les services du monde des ESPRITS GUIDES, c'est gratuit et les résultats aussi.

Dans les pages précédentes, je vous disais de prier pour permettre aux esprits de vos proches de s'élever dans l'astral. Vos guides sont eux aussi des esprits et il est peu probable que ce soit l'un vos proches.

La prière est une formule mécanique et elle est vide de sens, parce qu'en la disant on ne pense pas à ce qu'on dit.

Je vous propose d'utiliser l'ÉQUIVALENT DE, vous offrez à vos guides: voir exemples, que chaque respiration

de la journée est l'ÉQUIVA-
LENT D'un acte de charité,
que chaque battement de
cœur est l'ÉQUIVALENT
D'un acte de foi, que toutes
les paroles que je prononce
aujourd'hui sont l'ÉQUIVA-
LENT D'un acte d'amour.

Soyez imaginatif dans vos
offrandes, ainsi la routine ne
deviendra pas un mécanis-
me sans réelles intentions.
Exemples: que chaque goutte
de pluie qui tombent sur ma
voiture est l'ÉQUIVALENT
D'un acte de générosité, que
chaque granule de sucre que
j'utlise pour ce gâteau est

l'ÉQUIVALENT D'un acte de bonté etc. Soyez original, voire même exentrique, dans vos offrandes et vous éviterez ainsi la routine et le manque de sincérité.

Ne faites pas de vos offrandes une litanie qui deviendra l'emprunt de la prière. Faites une offrande journalière à vos guides et gratifiez aussi votre Être Suprême, votre Esprit Infini de la même offrande ou d'une autre au gré de votre imagination.

Respectez les lois de communication entre vous et ce

nouveau monde, le dénoue-
ment sera prodigieux et re-
marquable.

Pourquoi ne pas utililer
toutes les possibilités of-
fertes, sachant que c'est pour
embellir et agrémenter chacune de nos journées?

LE DÉCODAGE

Se décoder, c'est se débarrasser des blocages ancrés au plus profond de soi-même depuis sa conception jusqu'à aujourd'hui.

«Le présent dépend du passé et le futur dépend du présent.»

Si vous désirez vivre un futur heureux, paisible et harmonieux, vous devez le préparer. Il faut que vous viviez votre présent selon l'image que vous vous faites de votre futur.

Pour que cela soit possible, vous devez d'abord dire adieu

à tous les éléments négatifs qui ont réussi à vous atteindre au fil des ans et qui vous empêchent aujourd'hui d'être heureux.

Les psychologues ont découvert que ce qui nuit le plus n'est pas ce que l'individu peut se remémorer, mais plutôt les éléments négatifs qui ont profondément marqué son subconscient et dont il ne peut actuellement se souvenir de façon consciente; d'où la nécessité de se décoder pour être débarrassé définitivement d'aspects négatifs non clairement identifiés.

Si nous pouvons nous souvenir d'événements malheureux, nous pouvons décider de nous en débarrasser à tout jamais. Cependant il y a des milliers de petites et grandes déceptions qui nous ont affectés depuis notre conception et dont nous ne nous souvenons plus. Grâce au décodage nous pouvons nous en débarrasser à tout jamais.

Nous nous décodons nousmêmes à l'aide de notre subconscient. Il s'agit de lui faire parvenir une série de messages différents durant vingt et un jours, afin que ce dernier aille chercher dans chacune des étapes de notre vie tous les éléments négatifs et nous libère intérieurement.

Suite à de nombreux témoignages de mes élèves, je tiens à vous informer et à vous rassurer quant aux effets secondaires du décodage, parfois difficiles à vivre; maux de tête, malaises inexplicables, cauchemars, insomnies, etc. sont monnaie courante durant cette période.

Malgré le flot d'explications que je donne au cours, des élèves me téléphonent pour avoir des explications supplémentaires, et en rapport à ce qu'ils vivent durant ce cycle.

Comprenez bien que si je ne vous donne pas la formule de décodage, c'est que je veux vous épargner tout désagrément et surtout un mauvais décodage. Je 'ai dit à plusieurs reprises, on ne joue pas avec son subconscient.

Combien d'élèves n'arrivent pas à se décoder, même avec la meilleure volonté du monde? Est-ce leur grand-tricheur qui ne veut pas que son hôte se renforce dans tout son être et qu'il veut garder sa place de maître dans sa vie? Ou les guides malfaisants qui, eux aussi, ne lâchent pas prise facilement dans une période de décodage. Allez donc savoir?

Cependant, si un jour vous avez la chance de suivre le cours «Gestion de la Pensée» le décodage en fait partie.

Toutes les émotions vécues m'ont occasionné l'asthme aigu. Je prenais deux bon-bonnes (pompe) par jour, sans compter la batterie de pilules que je consommais pour arriver à respirer nor-malement. Quel enfer!

Durant mon décodage, j'ai été très malade, j'ai dû entrer d'urgence à l'hôpital le ven-dredi soir car j'étouffais. A-près examens et rayons-X des poumons, le médecin con-clut à une bronchite aiguë, heureusement, car en pre-mier lieu il avait diagnosti-qué une embolie pulmo-

naire. Il me prescrit des antibiotiques avec la recomman-
dation de revenir le lundi
matin si je n'étais pas mieux.
De fait, j'étais aussi mal. Je
toussais à m'étouffer et j'étais
méconnaissable. Donc le
lundi matin je retourne à l'urgence; on me fait d'autres
radiographies, le médecin
n'y comprend rien, celles
de vendredi avaient des
taches et celles d'aujour-
d'hui étaient impeccables.

Après d'autres examens
sérieux et complets, le médecin me dit: «Je ne com-
prends pas. Il se passe quel-

que chose en vous et je ne connais pas la réponse.» Il me suggéra de continuer les antibiotiques. Le lundi et le mardi furent un vrai calvaire, le mercredi, je sentais ma maladie disparaître et le jeudi, plus rien. Ma santé était revenue.

Quelques jours après être revenue à la vie normale, j'ai oublié de prendre un coup de bonbonne et mes médicaments avant de m'endormir. Vers quatre heures du matin, je m'éveille en sursaut, puis je panique à cause de mon oubli. Tout à coup, je réalise que je respire normalement sans pompe ni médicaments et c'est comme ça que, depuis, je vis tout à fait normalement.

De plus, ma sensibilité et mon énergie s'éveillent. Le décodage m'a guérie de l'asthme et j'ai découvert une paix intérieure qui m'était inconnue.

Merci, Daniel.

Ginette Desmarais

Amour et bonheur

La bougie ne perd rien de sa lumière en la communiquant à une autre bougie. Nous ne perdons pas, au contraire nous augmentons notre puissance d'aimer en aimant, en répandant abondamment notre amour autour de nous.

Un des grands secrets de la vie est d'apprendre à faire pénétrer en nous le grand courant des forces divines, et à les employer efficacement. Lorsqu'un homme a compris cette loi de la transfusion divine, son pouvoir est multiplié, et il devient un coopérateur de la divinité.

Quand la déloyauté et le désir de profiter de nos frères sont enlevés de nos cœurs, nous vivons si près de l'esprit divin que tout ce qu'il y a de bon dans l'univers vient à nous spontanément. Nous restreignons cet influx divin par nos mauvaises actions et nos pensées hypocrites, fausses, injustifiées et mensongères.

Ne vous plaignez pas toujours qu'il vous manque ceci ou cela. Chaque fois que vous déclarez que vous n'avez rien à donner, que vous ne possédez pas ce dont les autres disposent, que vous ne pouvez pas aller où d'autres vont ni faire ce qu'ils font, vous gravez plus profondément en vous ces images sombres. Aussi longtemps que vous parlez de vos expériences désagréables et insistez sur ces détails ennuyeux, votre mentalité vous empêche d'attirer à vous les choses que vous désirez, ainsi que le remède à vos conditions défavorables.

L'amour, la discipline et l'harmonie produisent la paix.

C'est le grand baume pour toutes les blessures, une panacée souveraine contre la malice, la vengeance et toutes les tendances inhumaines.

CONCLUSION

En considérant le pouvoir de l'esprit comme la seule et unique clé de la réussite, vous serez gagnant.

S'il y avait un doute, «ça va peut-être marcher, peut-être pas», **COUPEZ NET**, c'est encore le grand-tricheur qui se manifeste, et vous ferez l'effort nécessaire à l'entraînement de votre esprit conscient.

Une vie merveilleuse, remplie de bonheur et de chances à saisir vous attend: elle repose au fond de vous.

Faites de ce livret «la Bible de votre vie»; révisez régulièrement les différentes étapes à suivre. Ce sera la drogue de votre nouvelle vie.

Pour tout renseignement concernant les cours ou conférences au grand public ou aux entreprises, téléphonez au (514)565-6278.

BIBLIOGRAPHIE

Florence Wagner Mc Clain, *Dans les vies antérieures*, J'ai lu, New Age, 1986.

Omraam Mikhaël Aïvanhov, *Les fruits de l'Arbre de Vie*, Prosveta, 1966.

Anne et Daniel Meurois-Givaudan, *Terre d'Émeraude*, Arista, 1983.